DECOUPAGE
DU PAPIER

Je remercie Berta pour son aide précieuse

Clara Rota

DECOUPAGE
DU PAPIER

CELIV

SOMMAIRE

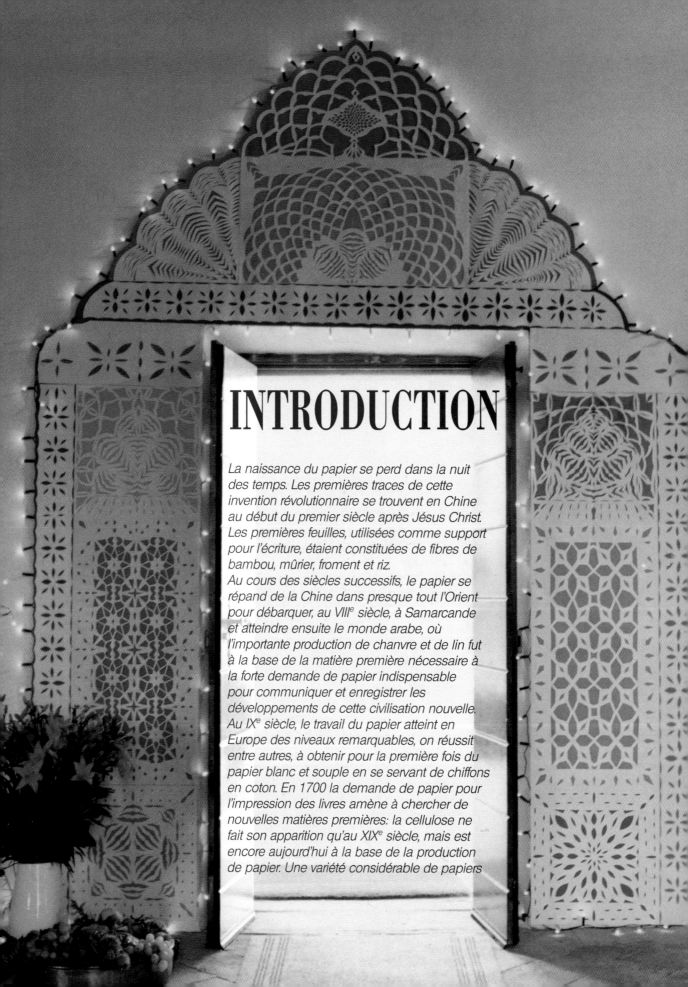

INTRODUCTION

La naissance du papier se perd dans la nuit des temps. Les premières traces de cette invention révolutionnaire se trouvent en Chine au début du premier siècle après Jésus Christ. Les premières feuilles, utilisées comme support pour l'écriture, étaient constituées de fibres de bambou, mûrier, froment et riz.

Au cours des siècles successifs, le papier se répand de la Chine dans presque tout l'Orient pour débarquer, au VIIIe siècle, à Samarcande et atteindre ensuite le monde arabe, où l'importante production de chanvre et de lin fut à la base de la matière première nécessaire à la forte demande de papier indispensable pour communiquer et enregistrer les développements de cette civilisation nouvelle.

Au IXe siècle, le travail du papier atteint en Europe des niveaux remarquables, on réussit entre autres, à obtenir pour la première fois du papier blanc et souple en se servant de chiffons en coton. En 1700 la demande de papier pour l'impression des livres amène à chercher de nouvelles matières premières: la cellulose ne fait son apparition qu'au XIXe siècle, mais est encore aujourd'hui à la base de la production de papier. Une variété considérable de papiers

est présente sur le marché, y-compris les papiers synthétiques, et il est très utile d'en connaître les caractéristiques pour les exploiter à son avantage.

J'ai voulu faire allusion dans les grandes lignes à l'histoire du papier, car j'aimerais vous communiquer ma passion pour cette «invention» extraordinaire qui a révolutionné le monde: tout commença par une attration fatale pour les livres anciens et pour les magnifiques papiers décorés qui les recouvrent, d'où ma recherche sur les techniques de fabrication et de décoration du papier qui m'amènent à concevoir, imaginer et réaliser des livres et à restaurer leurs «ancêtres». Cette formation m'a intimement liée au papier et à sa manipulation pour en arriver à me mesurer avec lui en construisant des objets et des sculptures complexes, des encollages, des découpages.

Le découpage, en particulier, est le passage le plus simple et offre de surprenantes possibilités: il suffit vraiment d'une feuille, d'un couteau ou d'une paire de ciseaux pour construire un monde.

Clara Rota

APERÇU HISTORIQUE

La tradition du découpage du papier prend naissance avec lui: les Chinois, maîtres indiscutés de la production et de l'utilisation du papier, pliaient, peignaient et découpaient cette matière nouvelle et obtenaient des effets d'une facture et d'un effet extraordinaires. Plus récemment, cette technique se diffusa dans de nombreux pays de tous les continents; du Mexique à l'Amérique du Nord, de la Suisse à l'Allemagne, du Danemark à la Pologne. Dans toutes ces nations, aux traditions et à la culture si différentes, les images découpées devinrent une des formes d'expression artistique populaire, du «petit peuple», des portraits et des témoignages de la vie quotidienne faite aussi d'histoires extraordinaires, de légendes, de fêtes, commémorations et amour de la vie. Les découpages se divisent en grandes familles caractéristiques des différents pays qui en ont fait des formes d'expression artistique pleinement autonomes, vives et diffuses aujourd'hui encore.

DECOUPAGES CHINOIS

Vous trouverez dans toute maison chinoise des découpages anciens et nouveaux, portraits, vœux ou paysages, tous d'une incroyable finesse d'exécution, d'une extrême variété de thèmes et de styles. Le découpage devient donc une véritable forme d'art, par ailleurs une des plus appréciées dans ce pays, une niche d'expression qui n'a jamais arrêté de représenter même des thèmes historiques. Dans la culture chinoise, les découpages sont symbole de prospérité et bonne fortune et tous, riches et pauvres sans distinction, confient leurs rêves et leurs désirs à ces petits bouts de papier.

Deux découpages chinois qui reproduisent le monde paysan (en haut) et le monde cultivé des calligraphes (page ci-contre). Au centre, portrait découpé de Mao Ze Dung.

Exemple de découpage danois qui reprend un typique décor japonais.

Silhouette de fin dix-neuvième.

DECOUPAGES DANOIS

La caractéristique de ces découpages est le résultat vraiment spécial de l'image obtenue en pliant la feuille en deux. La très grande variété de thèmes et de formes témoigne du grand usage de ces objets: de la décoration d'origine japonaise au griffonnage viking, de la publicité d'une boutique nouvelle aux vœux de la Reine. Beaucoup d'artistes contemporains utilisent couramment cette technique, avec des résultats originaux et imprévus.

SILHOUETTES

Durant des siècles les fiancés de l'Europe du Nord ont ravivé le souvenir de leur rencontre et ont longtemps soupiré devant le profil de l'aimé ou de l'aimée détouré dans de petites feuilles de papier peint en noir. Sur les marchés, des artistes armés de ciseaux représentaient jeunes et vieux pour quelques sous, des profils totalement essentiels et expressifs, véritables ombres des personnages figurés: bref des chefs-d'œuvre exceptionnels de finesse sans jamais tomber dans la caricature.

Typiques découpages suisses qui reproduisent
des scènes de fables. Motif qu'on retrouve dans
tout le monde nordique.

PAPEL PICADO

Squelettes, bandits, péons, révolutionnaires, la Mort avec son immanquable faux, démons et saints, tous rigoureusement noirs, se mêlent aux festons, fruits, oiseaux de feu, aux couleurs flamboyantes, le tout, évidemment, rigoureusement découpé dans le papier. Au Mexique, toutes les fêtes sont caractérisées par la présence de ces éphémères banderoles: c'est la plus pauvre des expressions populaires mexicaines, mais elle est extrêmement vivace et toujours prête à enregistrer tout changement politique et religieux du pays.

DECOUPAGE POLONAIS

Au cours des froids hivers polonais, on a l'habitude de préparer l'arrivée du printemps avec des festons, des confettis, des images évocatrices de cet joyeux évènement. Très colorés, dorés et composés de plusieurs couches, ils donnent vie à des décors et des motifs décoratifs d'inspiration agreste.

IMAGES PIEUSES EN DENTELLE

On enseignait la patience dans les couvents et les manufactures religieuses, où une des créations les plus originales que l'on y produisait était et est l'image pieuse en dentelle, calvaire de qui la fait et délice de qui la reçoit. Constituées de plusieurs couches de papier découpé jusqu'à la création de remarquables effets de relief, elles étaient rehaussées de bouts de tissus précieux, de petites monolithographies et de reliques plus ou moins vraies. De 1600 jusqu'à la fin du XIXᵉ siècle, ces créations firent office de tout petits autels portatifs auxquels adresser des prières et des requêtes de grâces.

En haut, petites banderoles de style mexicain.
Ci-dessous, découpage polonais.
A la page ci-contre, images pieuses du XIXᵉ siècle.

TECHNIQUE

MATERIEL ET OUTILLAGE

Papier-calque

Film transparent adhésif

Colles à papier

Pinceaux

Encres

Couleurs à la gouache et acryliques

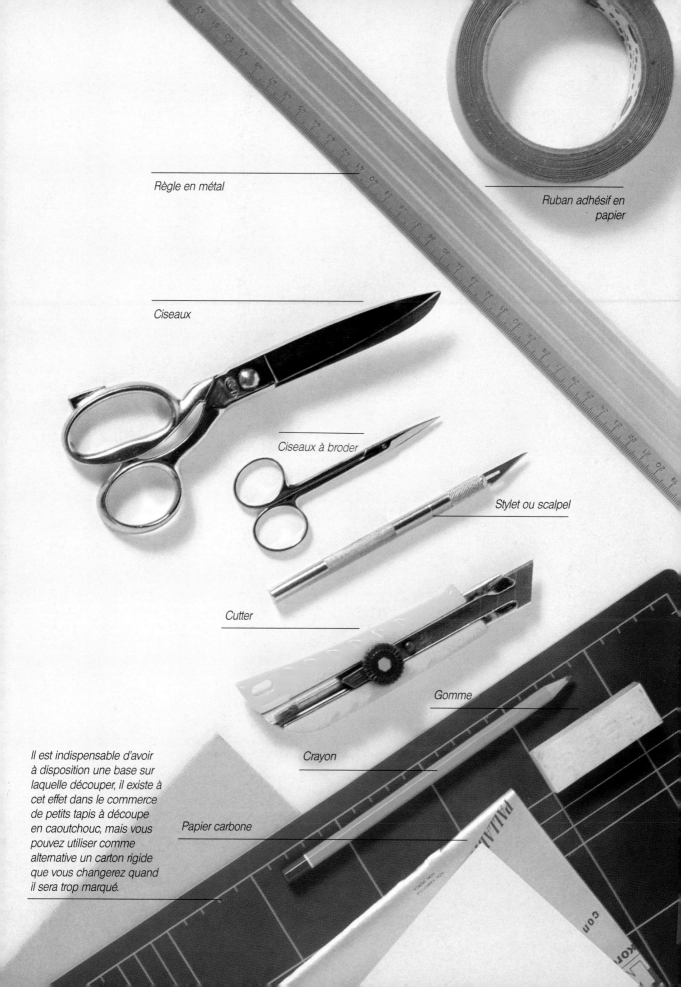

Règle en métal

Ruban adhésif en papier

Ciseaux

Ciseaux à broder

Stylet ou scalpel

Cutter

Gomme

Crayon

Il est indispensable d'avoir à disposition une base sur laquelle découper, il existe à cet effet dans le commerce de petits tapis à découpe en caoutchouc, mais vous pouvez utiliser comme alternative un carton rigide que vous changerez quand il sera trop marqué.

Papier carbone

LES PAPIERS

PAPIER DE RIZ
Le papier de riz, fin mais robuste, convient pour les découpages minutieux avec les ciseaux à broder.

PERGAMINO
Ce n'est pas le faux parchemin, mais un papier solide, assez rigide et idéal pour les lampes.

PAPIER RECYCLE
Les papiers recyclés se déchirent facilement quand on emploie le cutter: il est donc recommandé de les utiliser une fois que l'on est devenu expert dans l'usage de cet instrument.

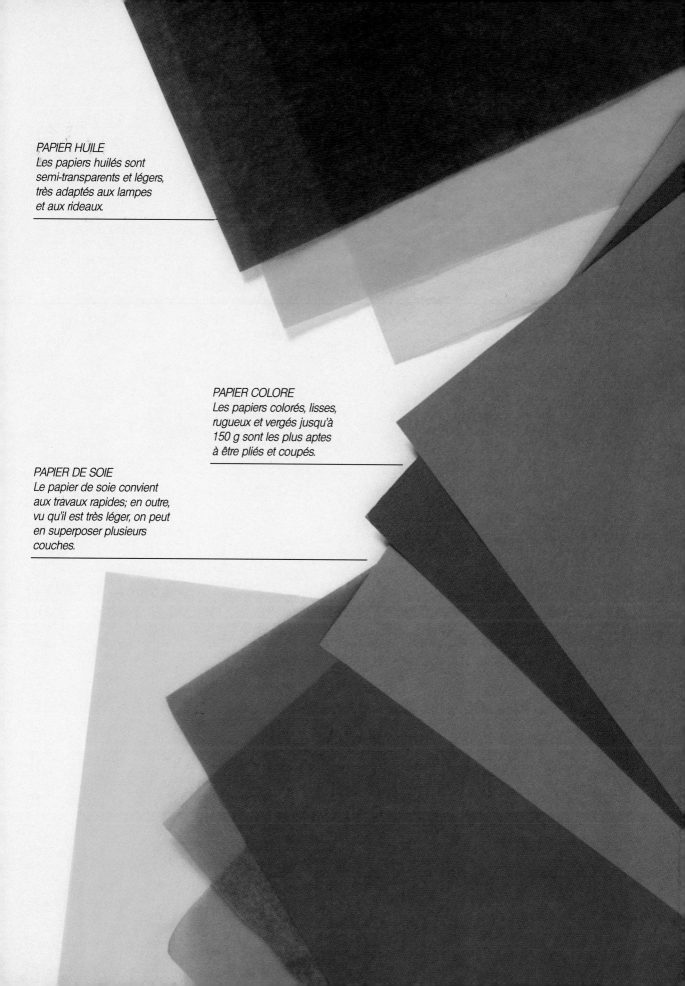

PAPIER HUILE
Les papiers huilés sont
semi-transparents et légers,
très adaptés aux lampes
et aux rideaux.

PAPIER COLORE
Les papiers colorés, lisses,
rugueux et vergés jusqu'à
150 g sont les plus aptes
à être pliés et coupés.

PAPIER DE SOIE
Le papier de soie convient
aux travaux rapides; en outre,
vu qu'il est très léger, on peut
en superposer plusieurs
couches.

DECOUPAGE AVEC CISEAUX ET PLIS

C'est la technique la plus rapide: en pliant le papier avant de le couper, on peut obtenir plusieurs coupes à la fois et des dessins symétriques et spéculaires.

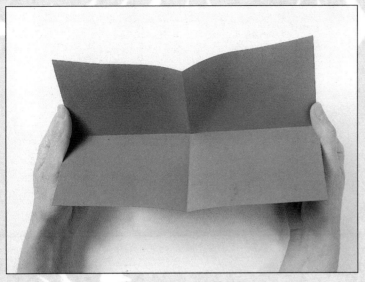

- *Pliez en quatre une feuille de papier rectangulaire.*

- *Pratiquez une première coupe en triangle sur le côté long qui part de l'arête centrale.*

- *Faites une deuxième coupe en forme de demi-cœur sur le côté court qui part de l'arête centrale.*

- *Ouvrez et passez l'ongle sur les plis pour les aplatir.*

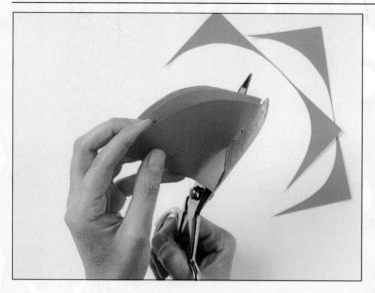

- Pliez en quatre une feuille de papier carré.
Coupez l'angle opposé au centre de la pliure,
en l'arrondissant. Vous obtiendrez un disque
sans recourir au compas. Pliez-le en quatre et
pratiquez sur un côté une découpe en forme
de demi-goutte.
- Faites une seconde coupe, en triangle, sur
l'autre côté, de manière à obtenir en final un
losange.

- Ouvrez le disque:
vous aurez ainsi
obtenu quatre décors.

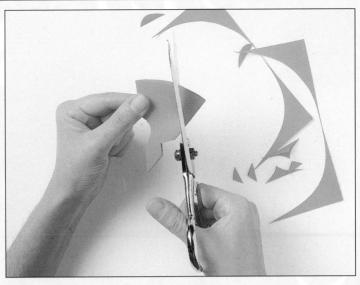

- *Repliez le disque tel que c'était illustré précédemment, ensuite pliez-le encore en deux, en accordéon.*

- *Pratiquez deux coupes en forme de triangle sur les côtés non encore coupés.*

- *Festonnez le côté arrondi, ouvrez ensuite le disque.*

- Pliez le carré en quatre, en accordéon.
- Pratiquez des coupes sur un côté, de manière à obtenir des demi-queues d'hirondelle.

- De l'autre côté, non encore coupé, pratiquez des coupes de manière à obtenir deux demi-écussons régulièrement espacés.

- *Pliez le rectangle en quatre, puis étalez-le.*
- *Repliez-le en deux.*
- *Pliez les deux côtés courts vers la ligne centrale de manière à obtenir une forme triangulaire. Pliez en deux le long de la ligne centrale.*

- *Faites des coupes sur un côté du triangle.*
- *Pratiquez une coupe sur l'autre côté du triangle et une autre au centre.*

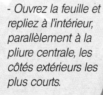

- *Ouvrez la feuille et repliez à l'intérieur, parallèlement à la pliure centrale, les côtés extérieurs les plus courts.*

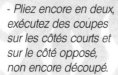

- *Pliez encore en deux, exécutez des coupes sur les côtés courts et sur le côté opposé, non encore découpé.*

DECOUPAGE AVEC CISEAUX A BRODER

Il s'agit de la technique la plus répandue dans le Nord de l'Europe. Elle est recommandée pour les travaux petits et minutieux, ou bien en cas de lignes courbes et complexes.

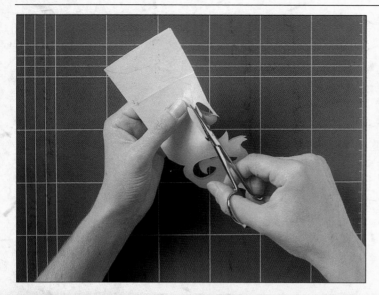

- *Tracez au crayon un dessin avec des motifs en courbe. Pratiquez les premières coupes le long du périmètre externe.*
- *Exécutez ensuite les découpages les plus internes.*

- *Trouez le papier en vous servant de la pointe des ciseaux de manière à faire l'amorce, c'est-à-dire le premier point d'où partir avec le découpage interne.*

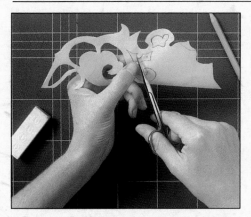

- *Coupez les parties les plus courbes et les plus petites en vous servant de la pointe des petits ciseaux.*
- *Pour faire l'amorce, si vous n'arrivez pas à trouer le papier avec les ciseaux, servez-vous du stylet: vous éviterez ainsi de froisser le papier.*

- *Complétez les découpages avec beaucoup de précision, toujours à l'aide des ciseaux à broder.*

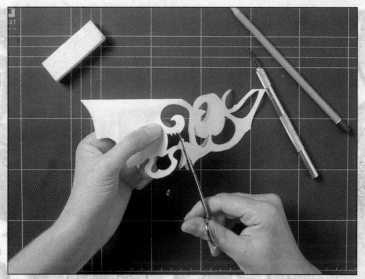

DECOUPAGE AVEC CUTTER ET STYLET

Ces deux instruments ont le même usage, la différence réside dans la lame: l'une plus fine et flexible, l'autre plus grosse et stable. Spontanément, vous aurez tendance à utiliser le stylet, vu qu'on travaille sur de petites dimensions, mais il vaudrait mieux commencer avec le cutter dont la lame est plus rigide et la prise robuste, il est moins fatigant et incontestablement moins dangereux. Effectivement la lame du stylet est flexible, moins stable et peut se briser facilement.

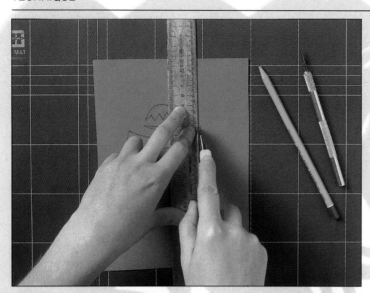

- *Quand vous vous servez de la règle en métal, prenez soin de tenir la lame du cutter perpendiculaire au plan de travail.*

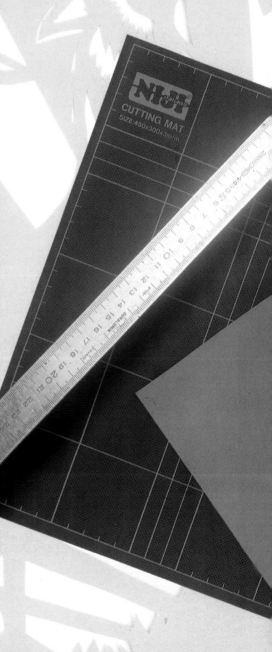

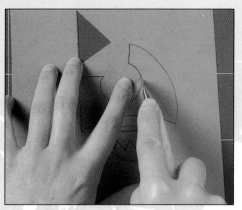

- *Pour obtenir des découpages courbes, tenez fermement la lame et faites pivoter le papier.*

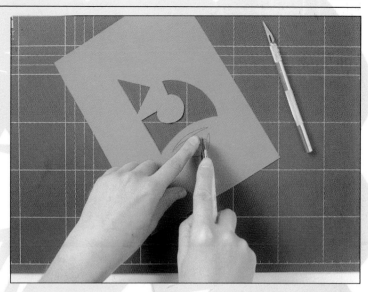

- *Faites toujours pression sur la surface du papier à proximité de la lame.*

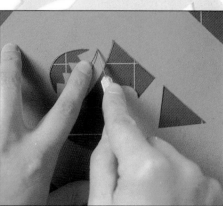

- *Avec ces instruments, utilisez toujours le tapis de découpe en caoutchouc et la règle en métal.*

IDEES POUR MILLE OCCASIONS

RONDE

MATERIEL NECESSAIRE

PAPIER COLORE

CRAYON

CISEAUX

C'est le classique feston de l'enfance, couramment découpé pour animer les jeux des enfants et pour «colorer» leurs joyeuses fêtes.

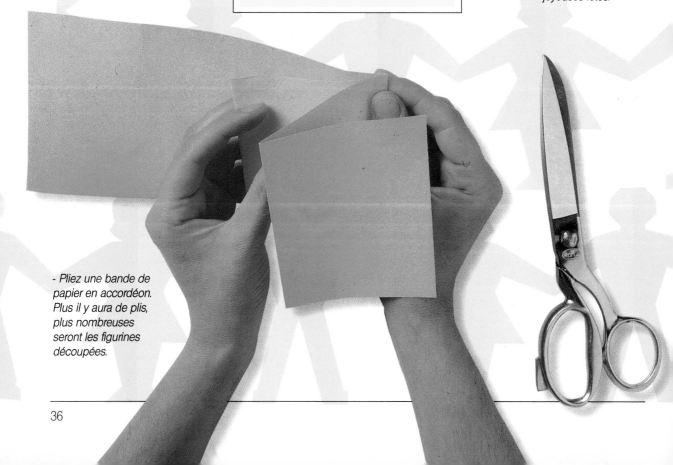

- Pliez une bande de papier en accordéon. Plus il y aura de plis, plus nombreuses seront les figurines découpées.

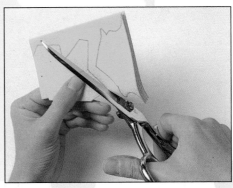

- Dessinez la moitié de la silhouette d'un petit garçon et d'une petite fille, en ayant soin de faire coïncider les figurines avec les extrémités de la feuille, en correspondance avec la pliure.
- Coupez avec les ciseaux en suivant le dessin et en tenant bien ferme l'accordéon.

- Une fois le découpage achevé, ouvrez l'accordéon de papier.

POTS A CONSERVE

MATERIEL NECESSAIRE

PAPIER DE SOIE DE COULEUR
CISEAUX

Sympathiques «dentelles» en papier de soie multicolore pour personnaliser des bocaux très courants et des pots en verre et donner ainsi une note de gaieté à votre cuisine.

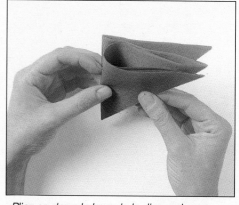

- *Pliez en deux, le long de la diagonale, une feuille de papier carré de manière à obtenir deux triangles. Pliez de nouveau la feuille en deux pour obtenir des triangles plus petits.*
- *Repliez les triangles en accordéon.*

- *En tenant bien fermement le sommet du triangle obtenu, découpez le côté opposé avec des formes simples. Enfin ouvrez: vous aurez créé un disque en papier finement décoré.*

- Pliez la feuille en quatre.
- Repliez-la en accordéon le long des diagonales, de manière à obtenir des triangles.

- En tenant entre les doigts le sommet du triangle, coupez l'angle du haut de manière à obtenir, une fois la feuille ouverte, une forme plus carrée.

- Complétez la «dentelle» et fixez-la au couvercle du pot avec un petit ruban assorti.

DECORATIONS POUR UNE FETE

MATERIEL NECESSAIRE

FEUILLES DE PAPIER DE SOIE (21 x 30 cm)
CISEAUX

C'est la plus pure tradition mexicaine que de créer des petites banderoles et des festons de couleur pour décorer les places à l'occasion de fêtes particulières. Et c'est justement du folklore mexicain que vous vous inspirerez pour donner une suggestive touche de couleur à vos fêtes.

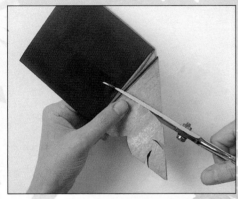

- Superposez quatre feuilles rectangulaires de papier de soie, pliez le côté court de manière à ce qu'il apparaisse parallèle au côté long, pour obtenir un carré plié en diagonale. Repliez-le en deux.
- Pliez à nouveau le tout en deux, en accordéon.
- Avec les ciseaux, faites des coupes simples sur deux côtés du triangle, en tenant bien ferme l'accordéon car les couches superposées tendent à se mouvoir une fois coupées.

- Ouvrez et repliez à l'intérieur les deux rectangles externes le long de la pliure centrale.

- *Pliez encore en deux; coupez tout un côté en donnant des formes de manière à former les franges.*

- *Ouvrez tout, repliez en deux dans le sens de la longueur, puis pliez encore en deux la section quadrangulaire, en excluant les franges.*
- *Pliez encore le long de la diagonale; galbez avec les ciseaux la ligne de contour de la petite banderole.*

FESTON CHINOIS

MATERIEL NECESSAIRE

PAPIER DE SOIE DE COULEUR (25 X 25 CM)
CARTON
CUTTER ET CISEAUX
COLLE
CORDELETTE
VOIR SECTION DESSINS P. 144

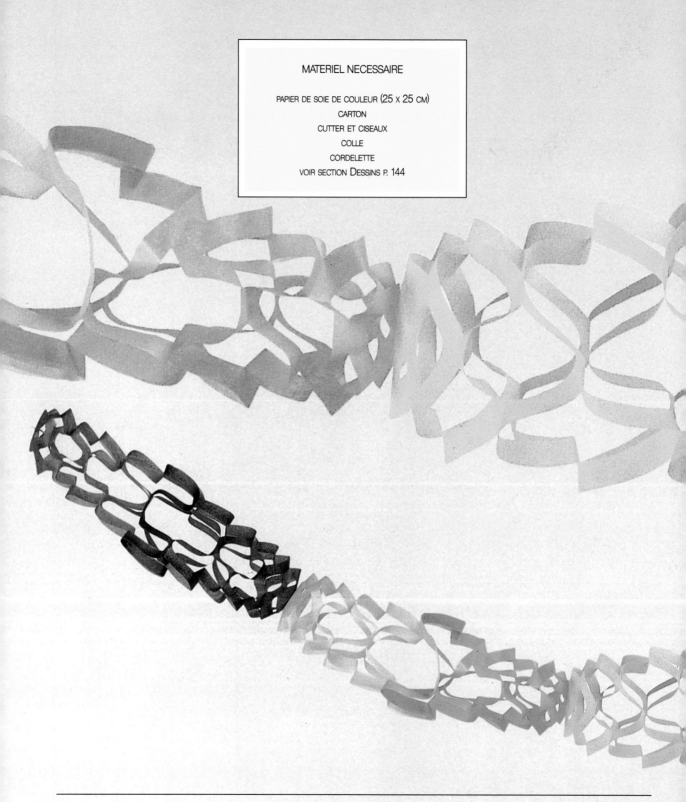

Voici le classique feston qui a décoré tant de fêtes d'anniversaire: pourquoi ne pas essayer de le confectionner nous-mêmes?

C'est très simple et amusant: en suivant nos indications, vous obtiendrez sans trop de difficultés des résultats vraiment satisfaisants.

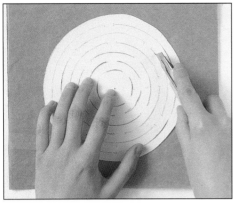

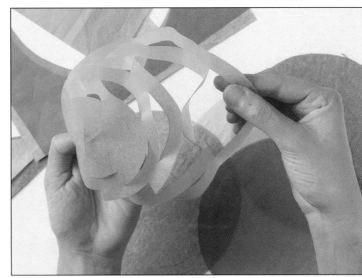

- Photocopiez le dessin et superposez-le sur un groupe de six papiers de soie de différente couleur.
- En tenant le disque bien ferme, coupez les traits internes dessinés et la circonférence.

- Essayez d'ouvrir une feuille de papier de soie, en tenant fermement d'une main le centre, de l'autre le bord externe.

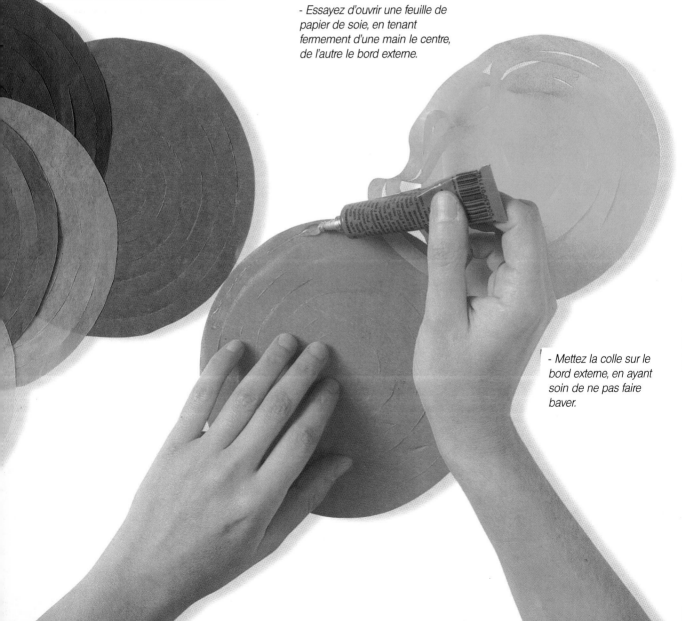

- Mettez la colle sur le bord externe, en ayant soin de ne pas faire baver.

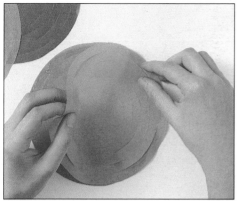

- Superposez un autre disque et collez-le en le faisant coïncider avec le bord du précédent.
- Ouvrez: vous aurez obtenu le premier module. Procédez de la même façon avec les quatre autres.

- Pour pouvoir suspendre votre feston, vous devez préparer deux anneaux avec une cordelette et deux cercles de carton de 2 cm de diamètre.

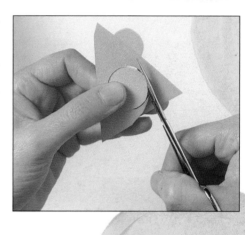

- Pratiquez un trou au centre du carton avec une pointe.

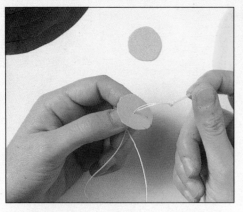

- Faites passer la cordelette enroulée en anneau dans le carton et nouez-en les deux extrémités au côté opposé.

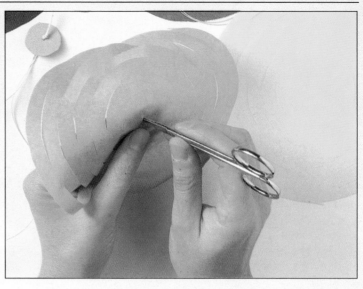

- Trouez également le disque de papier de soie au centre, en créant une ouverture suffisante pour faire passer la cordelette.

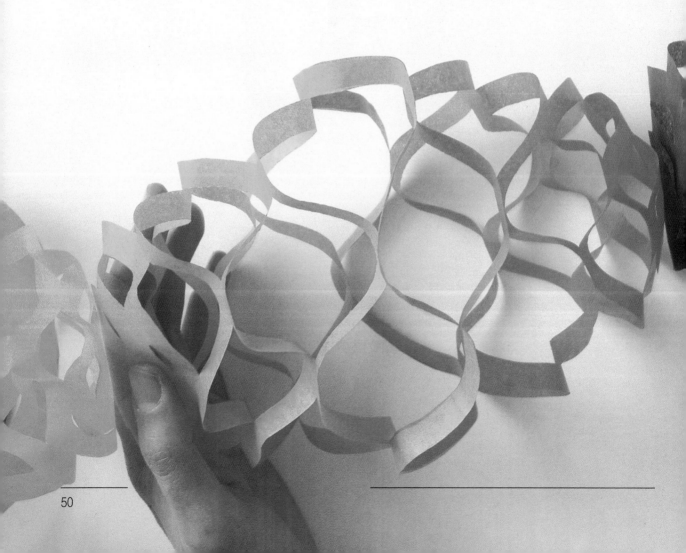

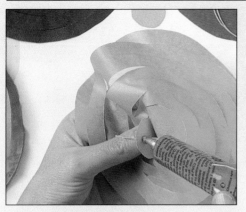

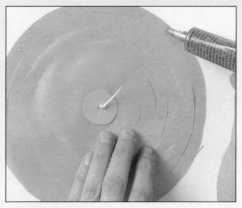

- Passez dans le trou l'anneau en cordelette et collez le carton au centre du papier de soie.

- En tenant le carton à l'intérieur, collez les deux cercles de manière à obtenir le module final. Procédez avec l'autre module correspondant.

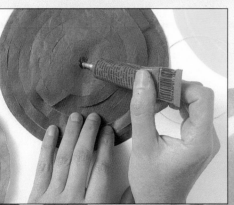

- Une fois les divers modules construits, collez-les entre eux en mettant un peu de colle au centre du cercle.

- En dernier, collez aux extrémités les deux modules avec la corde pour pouvoir suspendre votre feston. Comprimez bien, mais pas trop longtemps, et ouvrez tout de suite le feston pour éviter que les modules ne se collent entre eux.

LE SYMBOLE CHINOIS
DU DOUBLE BONHEUR

MATERIEL NECESSAIRE

PAPIER DE SOIE ROUGE
CISEAUX
VOIR SECTION DESSINS P. 144

Découpage original et minutieux d'un idéogramme chinois qui signifie «double bonheur», utilisé pour annoncer les noces et décorer la maison des époux.

- *Découpez un rectangle de papier et pliez-le en quatre, en accordéon.*
- *Reportez-y le dessin, en veillant bien à l'endroit où vous le placez par rapport aux pliures du papier de manière à obtenir la transcription correcte.*

- *Coupez avec les ciseaux, en tenant fermement le papier et en faisant attention aux croisements compliqués des coupes.*
- *Ouvrez la feuille.*

CADRES

MATERIEL NECESSAIRE

CARTONS COLORES (44 X 23 CM)
CRAYON
REGLE
CUTTER
COLLE
VOIR SECTION DESSINS P. 145

Carton, crayon, règle et cutter... c'est tout ce qu'il faut pour créer de gracieux cadres de couleur. Une idée amusante et facile à réaliser.

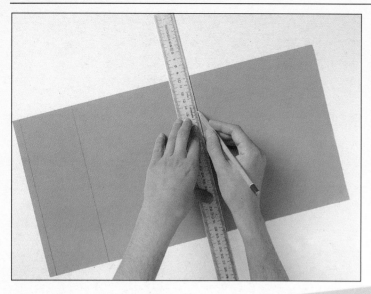

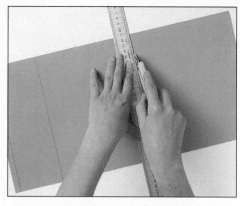

- Sur un carton rectangulaire (44 x 23 cm) tracez au crayon des lignes verticales, à une distance de 1 cm, 8 cm et 18 cm: il vous restera 17 cm.
- Passez maintenant délicatement, mais sans couper, le cutter sur les lignes tracées.

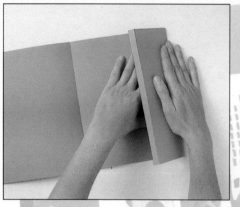

- Pliez le carton le long des lignes d'incision, en laissant l'empreinte du cutter à l'extérieur de la pliure.
- Marquez au centre l'encadrement de la photo, en maintenant autour une bonne marge sur laquelle reporter le dessin du décor.

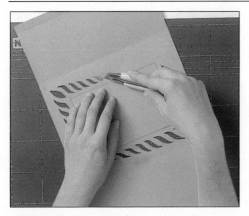

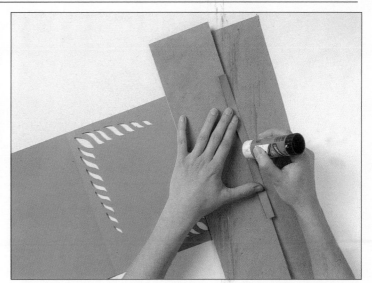

- Faites le dessin sur le carton et procédez au découpage à l'aide du cutter.
- Distribuez sur la languette de 1 cm une légère couche de colle. Pour éviter de baver excessivement, mettez du papier sous la languette.

- Fixez la languette sur le côté opposé du carton pour achever le cadre.

PORTE-PHOTO

*Un album très coloré,
amusant et original, pour
rassembler vos souvenirs
les plus beaux.*

MATERIEL NECESSAIRE

DEUX CARTONS BLUES (70 X 100 CM)
UN CARTON ORANGE (22 X 29 CM)
CUTTER OU STYLET
REGLE
COLLE
PAPIER CARBONE
VOIR SECTION DESSINS P. 145

- Coupez deux bandes de carton de 70 x 30 cm; pliez chaque bande en trois, en accordéon, en faisant les trois pliures à 23 cm de distance l'une de l'autre.

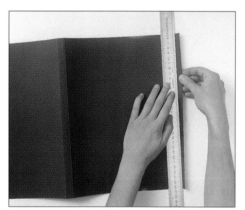

- Faites les trois pliures, il vous restera une languette de 1 cm. Utilisez la règle pour la plier. Répétez l'opération avec l'autre bande de carton.

- Passez une légère couche de colle sur la languette, à l'extérieur. Pour éviter les bavures, mettez du papier sous la languette.

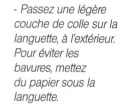

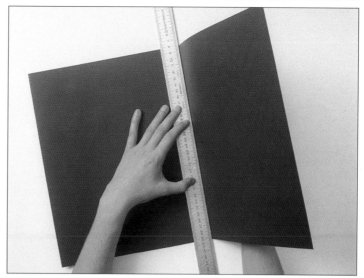

- *Collez la languette à la deuxième bande pliée en accordéon, de manière à obtenir l'intérieur de votre album, qui aura six pages en tout.*

- *Pour la couverture, coupez deux bandes de carton de 30 x 50 cm et pliez-les: faites la première pliure à 23,5 cm et, à côté, faites-en une de 1,5 cm pour le dos de l'album.*
- *Pratiquez une autre pliure à 23,5 cm: il vous restera une languette de 1,5 cm. Répétez l'opération avec l'autre bande.*

- *Reportez le dessin photocopié sur le cadran d'une des deux couvertures en le décalquant avec le papier carbone. Centrez-le.*

- Découpez le dessin avec le cutter ou le stylet. La lame doit toujours être neuve car le carton a une certaine épaisseur.
- Sur la couverture non découpée, collez la languette de 1,5 cm.

- Assemblez les deux couvertures, en tenant la languette à l'intérieur.
- Mettez peu de colle aux quatre angles du carton orange.

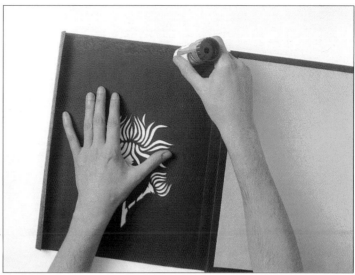

- *Mettez en place le carton orange entre les deux couvertures, en correspondance avec le découpage.*
- *Mettez un peu de colle par-dessus et par-dessous le découpage et également sur la languette de la couverture découpée.*

- *Collez, en les superposant, les deux couvertures en comprimant légèrement pour favoriser une bonne adhésion.*
- *Attachez la languette à l'intérieur de la couverture, à l'opposé du découpage.*

- *Passez la colle également sur la languette restée, à l'intérieur de l'album.*

UNE TETE DE LIT POUR UN LIT A UNE PLACE...

MATERIEL NECESSAIRE

CARTONS DE COULEUR (70 x 100 CM)
CRAYON
CUTTER
CISEAUX
COLLE
RUBAN BI-ADHESIF

Si vous désirez créer dans votre chambre une atmosphère ethnique et africaine, il vous suffira d'un peu de papier, d'une paire de ciseaux... et de beaucoup de fantaisie!

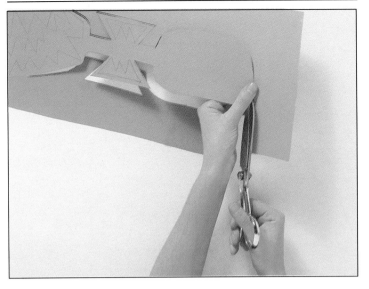

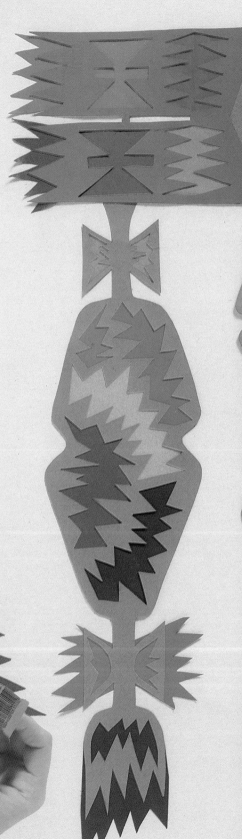

- Pour la bande horizontale, utilisez toute la longueur du carton (100 cm), tandis que pour les bandes verticales, vous utiliserez le côté de 70 cm. Dessinez toutes les bandes, coupez ensuite l'extérieur avec les ciseaux et les décors internes avec le cutter.

- Reportez les décors internes sur des cartons de couleur et collez-les sous les bandes découpées.
- Il s'agit là d'une des compositions possibles qui peut en tout cas être facilement modifiée en déplaçant, ajoutant ou tassant les différents morceaux selon les exigences d'espace et de goût.

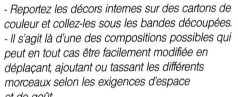

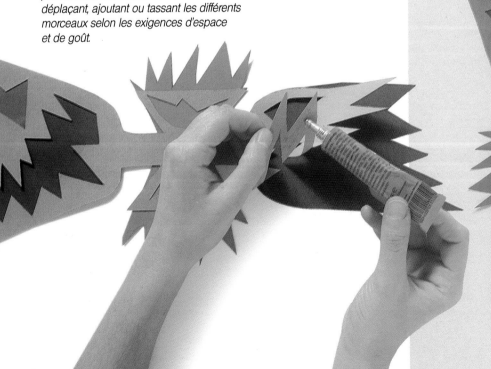

...ET UNE AUTRE POUR UN LIT A DEUX PLACES

MATERIEL NECESSAIRE

CARTONS DE COULEUR (70 X 100 CM)
CRAYON
CISEAUX
COLLE
RUBAN BI-ADHESIF
VOIR SECTION DESSINS P. 146

- Coupez un disque de 70 cm de diamètre dans le carton bleu. Reportez le dessin du décor et procédez au découpage à l'aide des ciseaux.

- Découpez le fond jaune de manière à ce que ses dimensions soient juste suffisantes pour couvrir les arbustes internes du cercle bleu. Coupez ensuite le cercle rouge, le plus à l'intérieur, dessinez-y et découpez un seul arbuste.

- Assemblez les trois cartons avec de la colle ou avec le ruban bi-adhésif.
- Coupez les deux triangles jaunes latéraux. Dessinez et découpez un arbuste sur chacun d'eux. Décorez leurs bords avec des festons et une coquille. A l'envers, collez un carton rouge en-dessous, correspondant à l'arbuste.

- Coupez deux triangles dans le carton bleu restant, toujours avec l'arbuste et la coquille, de manière à rappeler les triangles jaunes. Répétez l'opération également avec le carton rouge, en ne découpant qu'un triangle.

- Pour appliquer la décoration au mur derrière la tête de lit, vous pouvez utiliser de la colle pour papier peint, si vous voulez un décor durable, ou bien du ruban bi-adhésif. Il serait préférable de faire un essai sur le mur avec le ruban bi-adhésif pour éviter qu'ensuite l'enduit ne se détache.

CUISINE JAPONAISE

MATERIEL NECESSAIRE

QUATRE FEUILLES DE PAPIER DE SOIE ROUGE

UNE FEUILLE DE PAPIER DE SOIE BLUE

CARTON BLUE ET NOIR

PAPIER CARBONE

REGLE

CUTTER

VOIR SECTION DESSINS P. 146-147

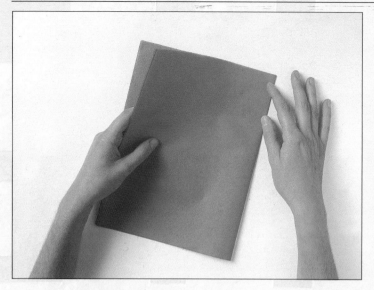

- Coupez en deux quatre feuilles de papier de soie rouge. Superposez les huit feuilles ainsi obtenues et pliez-les en deux.
- Reportez le dessin avec le papier carbone.

- Posez les feuilles sur le tapis à découpe en caoutchouc et commencez à découper les franges externes, à l'aide de la règle métallique et du cutter. On peut éventuellement employer les ciseaux.

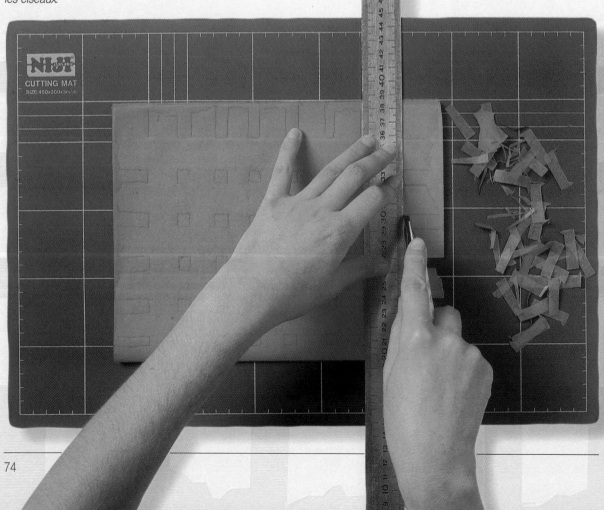

- *Toujours armés de la règle et du cutter, coupez les petits carrés à l'intérieur en veillant à ce que les papiers de soie ne se déplacent pas. Pour ce faire, tenez fermement la règle.*

- *Ouvrez chacune des feuilles, ensuite posez-en deux, en les superposant, sur un carton noir à peine plus grand. Il vaut mieux utiliser deux papiers de soie, l'un sur l'autre, pour intensifier la couleur.*

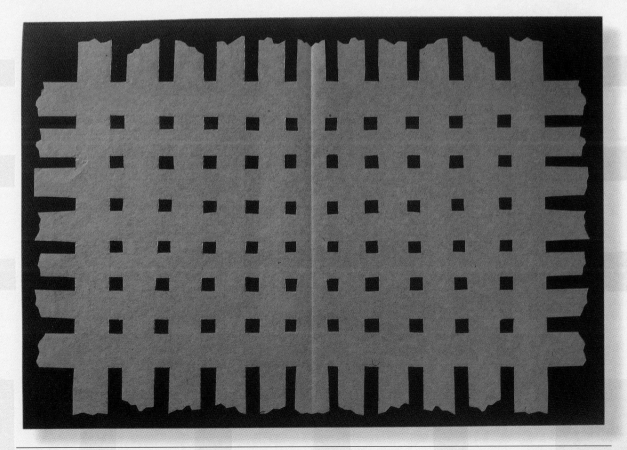

- Pour le menu, pliez en deux un carton noir, reportez le dessin et découpez-le.
- Découpez un carton rouge, où vous écrirez le menu de la soirée, et collez-le sur la moitié non découpée du carton noir.

- Pour le marque-place, pliez en quatre la feuille de papier de soie bleu, reportez le dessin et découpez à l'aide de la règle en métal. Posez-le sur une serviette de papier rouge.

LA TABLE PRINTANIERE

MATERIEL NECESSAIRE

LEGERS CARTONS DE COULEUR (44 x 34 CM)
CUTTER
REGLE
PAPIER CARBONE
CISEAUX
VOIR SECTION DESSINS P. 148-151

Habituellement, au printemps, on a envie de couleur, de soleil et de gaieté. Alors, pourquoi ne pas égayer la table avec un service américain en dentelle découpée dans des couleurs solaires?

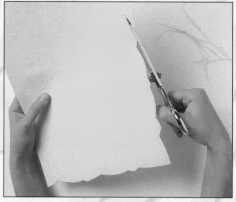

- Pliez le carton en deux, sans trop marquer la pliure.
- Galbez le bord extérieur, en découpant aux ciseaux un feston souple, à peine ébauché.

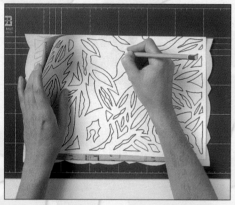

- Reportez le dessin choisi avec le papier carbone. Posez l'ouvrage sur le tapis spécial à découpe, indispensable pour la phase successive de découpage.

- Découpez à l'aide du cutter. Si la coupe est exécutée au-delà de la ligne dessinée, on ne devra pas effacer ensuite les traces au crayon.

SERVICE AMERICAIN PLASTIFIE

MATERIEL NECESSAIRE

CARTON DE COULEUR

PLASTIQUE ADHESIF

RUBAN ADHESIF

CISEAUX

REGLE

CUTTER

VOIR SECTION DESSINS P. 148-151

Pratique, coloré, amusant, il est particulièrement adapté à une table rustique ou aux classiques goûters d'enfants.

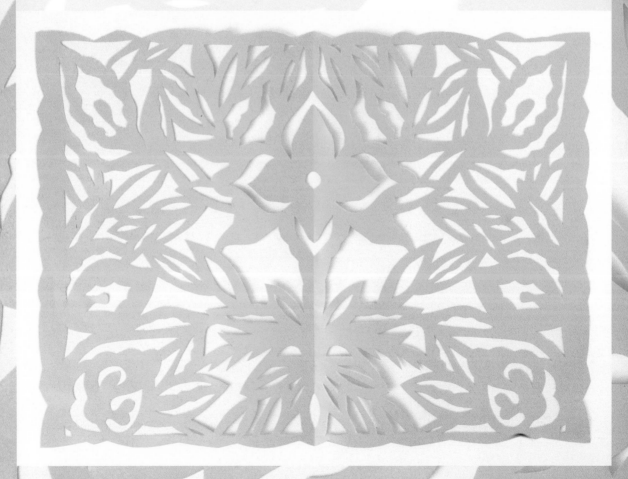

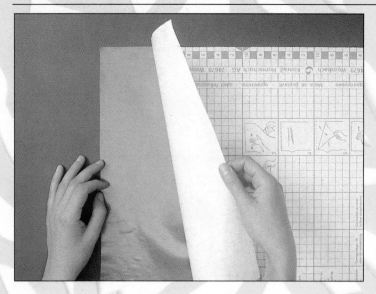

- Coupez deux morceaux de plastique adhésif plus grand que le service à confectionner. Enlevez le papier protecteur du premier morceau.
- En tenant sur la table la feuille de plastique, faites-y adhérer un côté du carton de couleur.
- Posez lentement la feuille de papier, en comprimant d'une main de manière à éviter la formation de bulles d'air et de fronces.
- Retournez le carton et faites-y adhérer la seconde pellicule de plastique en partant toujours d'un côté et en enlevant au fur et à mesure le papier protecteur.

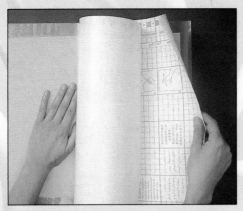

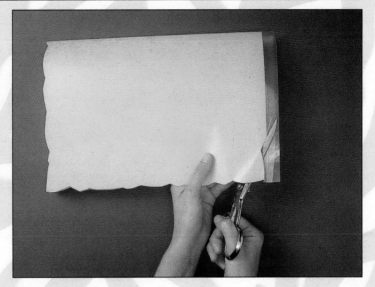

- *Cette opération de plastification sera plus simple si vous vous faites aider d'une tierce personne. Dans tous les cas, passez toujours soigneusement une main sur le papier tout en l'étalant.*
- *Pliez en deux sans trop marquer la pliure et galbez le bord externe, en tenant bien fermement le tout car le plastique a tendance à glisser.*

- *Fixez la photocopie du dessin choisi sur le set avec du ruban adhésif et découpez le tout en même temps.*

PETIT MEUBLE DECORE

MATERIEL NECESSAIRE

PAPIER DE COULEUR RECYCLE
CISEAUX A BRODER
RUBAN BI-ADHESIF
CUTTER
COLLE
PAPIER CARBONE
VOIR SECTION DESSINS P. 152

Une idée originale pour rénover un meuble un peu vieillot, en dissimulant les marques d'usure avec des découpages simples et décoratifs.

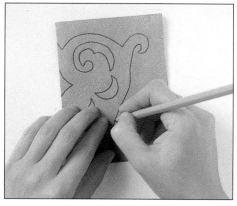

- *Coupez un rectangle de papier et pliez-le en deux.*
- *Reportez sur le papier le dessin choisi.*

- *Coupez les contours externes avec les ciseaux à broder, en essayant de respecter parfaitement les courbes et les rondeurs des coquilles.*

- *Faites l'amorce au cutter pour découper ensuite plus facilement les parties internes.*

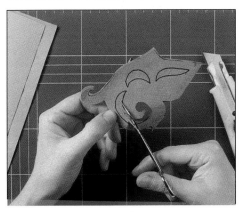

- Insérez la pointe des ciseaux à broder dans l'amorce et découpez en suivant les courbes.
- Ouvrez le découpage, préparez-en d'autres dans différentes couleurs.

- Recouvrez les étagères avec du papier de couleur, en la fixant avec le ruban bi-adhésif.
- A la fin, collez les découpages.

BOITES FANTAISIE

MATERIEL NECESSAIRE

CARTON DE COULEUR

CRAYON

CISEAUX

CUTTER

Avec un peu de papier, une paire de ciseaux et beaucoup de fantaisie, vous pouvez facilement décorer des boîtes banales, en les recyclant pour d'autres usages, avec des résultats stupéfiants.

COMMENT RENOVER UN CADRE

MATERIEL NECESSAIRE

PAPIER DE COULEUR
CRAYON
CISEAUX A BRODER
COLLE EN VAPORISATEUR
VOIR SECTION DESSINS P. 152

*Un léger décor répété
aux angles opposés
pour rénover et enrichir
un cadre tout simple.*

- Coupez un rectangle de papier coloré et pliez-le en deux.
- Reportez au crayon le dessin sur le papier.

- Découpez le contour externe à l'aide des ciseaux à broder.
- Découpez la dentelle interne. Si vous n'arrivez pas à trouer facilement le papier, faites l'amorce avec le cutter.

- Ouvrez le découpage ainsi obtenue. Placez-le de manière à le faire correspondre avec l'angle du cadre et collez-le en vaporisant la colle, si possible en plein air et en tenant la bombe à une distance de 20 cm environ.
- Découpez dans le même papier un passe-partout à appliquer autour de la photo à encadrer.

SIGNETS

Le signet est un objet de moins en moins utilisé, il a été remplacé par des cartes postales, des tickets de métro ou des cartes de visite. Mais qu'y-a-t-il de plus original, pour compléter le don d'un livre, que d'y ajouter un signet fait par vous? Vous pourrez le réaliser sans difficulté en reportant le dessin préféré sur le carton et en le découpant avec ciseaux et cutter.

art spiegelman

MAUS

A SURVIVOR'S TALE

II AND HERE MY TROUBLES BEGAN

TAHAR
...LLOUN
...ABBIA

Where the Deadmen Left Their Bones

Vanni Fucci led Bremen from the skiff to the shore, from the
shore through the screen of trees, and from the trees to the road-
side where a white Cadillac was parked. The man kept the re-
volver down at his side, but visible, as he opened the car door on
...enger side and waved Bremen in. Bremen did not protest
... the shield of cypress ...king his second cup of coffee and

CŒURS DE BON AUGURE

Le cœur est un symbole qui revient beaucoup dans les décorations, surtout dans les découpages traditionnels d'Europe du Nord et d'Amérique du Nord.

MATERIEL NECESSAIRE

PAPIER DE COULEUR
PAPIER NOIR
PAPIER CARBONE
CISEAUX A BRODER
CUTTER
VOIR SECTION DESSINS P. 153

- Pliez en deux une feuille de papier noir et reportez le dessin.

- Découpez très soigneusement le contour externe à l'aide des ciseaux à broder.

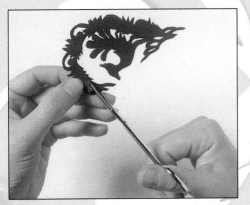

- Découpez ensuite l'intérieur; si cette opération vous donne du mal, faites l'amorce en trouant le papier de la pointe des ciseaux à broder; procédez ensuite avec les ciseaux à broder et le cutter. Exécutez minutieusement le travail, puis ouvrez le découpage.

LA FORET DE DENTELLE

MATERIEL NECESSAIRE

PAPIER VERT CLAIR

GOUACHES

EPONGE

ASSIETTE EN PLASTIQUE

CUTTER

PAPIERS DE SOIE DE TEINTES PASTEL

PAPIER-CALQUE

RUBAN ADHESIF EN PAPIER

COLLE

VOIR SECTION DESSINS P. 154

De légères feuilles de papier de soie superposées et un découpage très minutieux pour créer un décor précieux, semblable à un tableau de dentelle.

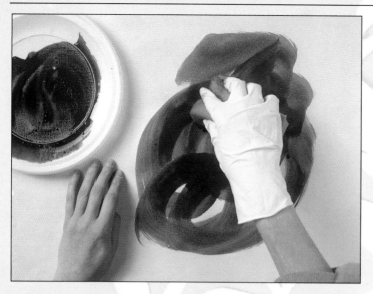

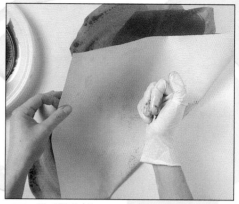

- Préparez la couleur en diluant la gouache dans beaucoup d'eau. Mouillez l'éponge et trempez-la dans la couleur, puis passez-la sur une feuille de papier vert clair.
- Pliez la feuille en piquetant avec les mains en plusieurs endroits. Répétez plusieurs fois l'opération de manière à créer de nombreuses frisures puis laisser complètement sécher la couleur.

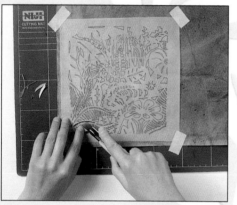

- Décalquez le dessin sur le papier-calque, puis fixez-le avec le ruban adhésif en papier sur la feuille que vous avez colorée. Posez l'ouvrage sur le plan de découpe spécial en caoutchouc et découpez au cutter, en procédant lentement, avec beaucoup d'attention.

- Déchirez un bout de papier de soie bleu pour le ciel.
- Déchirez un bout de papier de soie jaune et un autre vert pour faire ressortir les différents secteurs du dessin découpé.
- Mettez les trois feuilles en place en les superposant à peine et fixez-les avec une légère couche de colle.

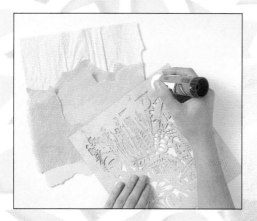

- Distribuez la colle en toute petite quantité, même sur le bord externe du découpage.
- Enfin mettez le découpage en place sur les papiers de soie, en comprimant légèrement pour en favoriser l'adhésion.

PETIT PAPILLON CHINOIS

Un exemple typique de découpage chinois, réalisé selon une technique particulière qui, en dehors du découpage du papier, prévoit la coloration minutieuse de ses parties avec des nuances vives.

MATERIEL NECESSAIRE

PAPIER VERGE OU LEGER PAPIER DE RIZ

CISEAUX A BRODER

CISEAUX

COULEURS ACRYLIQUES

ASSIETTE EN PLASTIQUE

PETITS PINCEAUX

PAPIER GRIS-BLEU

COLLE EN BATON

VOIR SECTION DESSINS P. 154

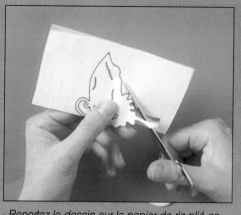

- *Reportez le dessin sur le papier de riz plié en deux et coupez le contour aux ciseaux à broder.*
- *Découpez très soigneusement les dessins internes, car le papier est fin et les dessins sont très petits.*
- *Ouvrez délicatement le papier, il en sortira un gracieux papillon.*

- Décorez le papillon avec des couleurs acryliques. N'ajoutez pas d'eau aux couleurs, parce que si elles étaient trop fluides, elles feraient froncer le papier; par contre utilisez le pinceau légèrement humide pour estomper la couleur. Laissez sécher.
- Coupez un carton bleu et fixez-y le papillon au centre avec une couche légère de colle en bâton.

- Coupez le papier gris aux dimensions du carton bleu et pliez-le en quatre. Reportez sur le papier gris le dessin du cadre.

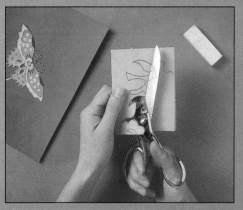

- *Coupez aux ciseaux les contours dessinés, en procédant avec beaucoup de prudence pour respecter la complexité du tracé.*
- *Aplanissez les plis en y passant l'ongle ou en faisant un contre-pli.*

- *Passez une légère couche de colle sur le bord externe du cadre.*

- *Fixez le cadre sur le carton bleu, en maintenant au centre le papillon coloré. Vous pouvez achever l'ouvrage en y superposant du verre à la mesure, à fixer avec les agrafes spéciales.*

CARTES DE VŒUX

MATERIEL NECESSAIRE

CARTONS DE COULEUR
CRAYON
CISEAUX
CUTTER
VOIR SECTION DESSINS P. 155

CARTES DE VŒUX DE PAQUES

MATERIEL NECESSAIRE

CARTON VERT
CARTON LILAS
PAPIER CARBONE
CUTTER
COLLE EN BATON
VOIR SECTION DESSINS P. 156

La combinaison chromatique de vert et de lilas enrichit le découpage moderne et linéaire de cette originale carte de vœux.

- Coupez un carton vert et pliez-le en deux.
- Reportez le dessin sur la moitié du carton,
à l'aide du papier carbone.

- Posez le carton vert sur tapis à découpe en
caoutchouc et procédez au découpage, avec le
cutter, en suivant minutieusement le dessin tracé.

- Coupez un carton lilas aux dimensions du
carton vert diminuées de moitié. Dans l'angle en
bas qui correspond au tronc de l'arbre découpé
dans le carton vert, dessinez la forme d'un œuf.
Découpez l'œuf en tenant la lame quasiment
immobile et en faisant pivoter le papier.
- Passez une légère couche de colle en bâton
sur le bord externe du carton lilas et collez-le
sur la moitié non découpée du carton vert, en
exerçant avec les mains une légère pression
pour éliminer les éventuelles fronces du papier
et favoriser une bonne adhésion.

INVITATION DE MARIAGE

MATERIEL NECESSAIRE

CARTE ET ENVELOPPE

LEGER PAPIER BLANC

CISEAUX

CUTTER

COLLE EN VAPORISATEUR

PAPIER CARBONE

VOIR SECTION DESSINS P. 156

Un découpage délicat pour décorer la plus romantique des invitations de mariage.

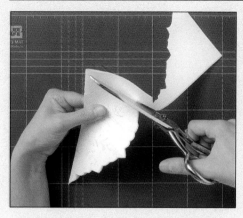

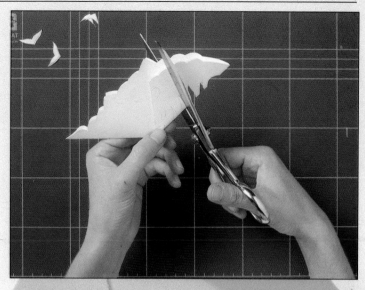

- Pliez à demi la feuille de papier blanc.
Reportez le dessin, puis coupez en suivant le
périmètre externe.
- Pliez le long de la ligne hachurée en haut et
coupez aux ciseaux.
- Pliez le long de la ligne hachurée successive
et découpez.

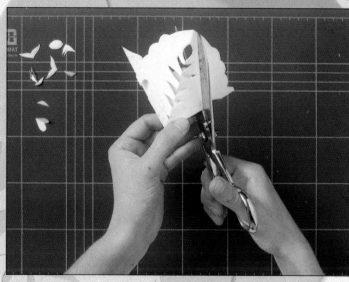

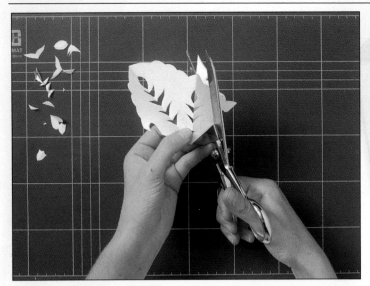

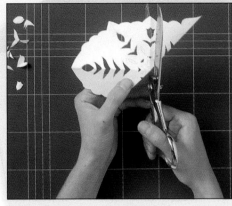

- *Répétez l'opération de pliure et de coupe également le long de la ligne hachurée plus en bas.*
- *Coupez maintenant le long du pli principal.*

- *Faites les finitions avec le cutter, en coupant les dessins restants.*

- Ouvrez le découpage et aplanissez les plis en comprimant avec l'ongle.
- Distribuez un peu de colle en vaporisateur le long du découpage.

- Mettez le décor en place sur le carton coloré, en faisant pression le long des deux plis centraux.

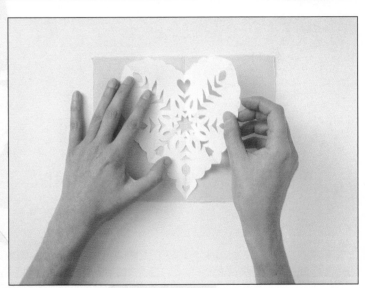

DELICATS PETITS RIDEAUX

MATERIEL NECESSAIRE

PAPIER HUILE
CRAYON
CISEAUX

Le découpage s'adapte merveilleusement à la décoration des fenêtres de la maison grâce au jeu de lumière entre les pleins et les vides et aux transparences naturelles de la trame du papier. Le résultat est toujours garanti, en tout point semblable à de la vraie dentelle.

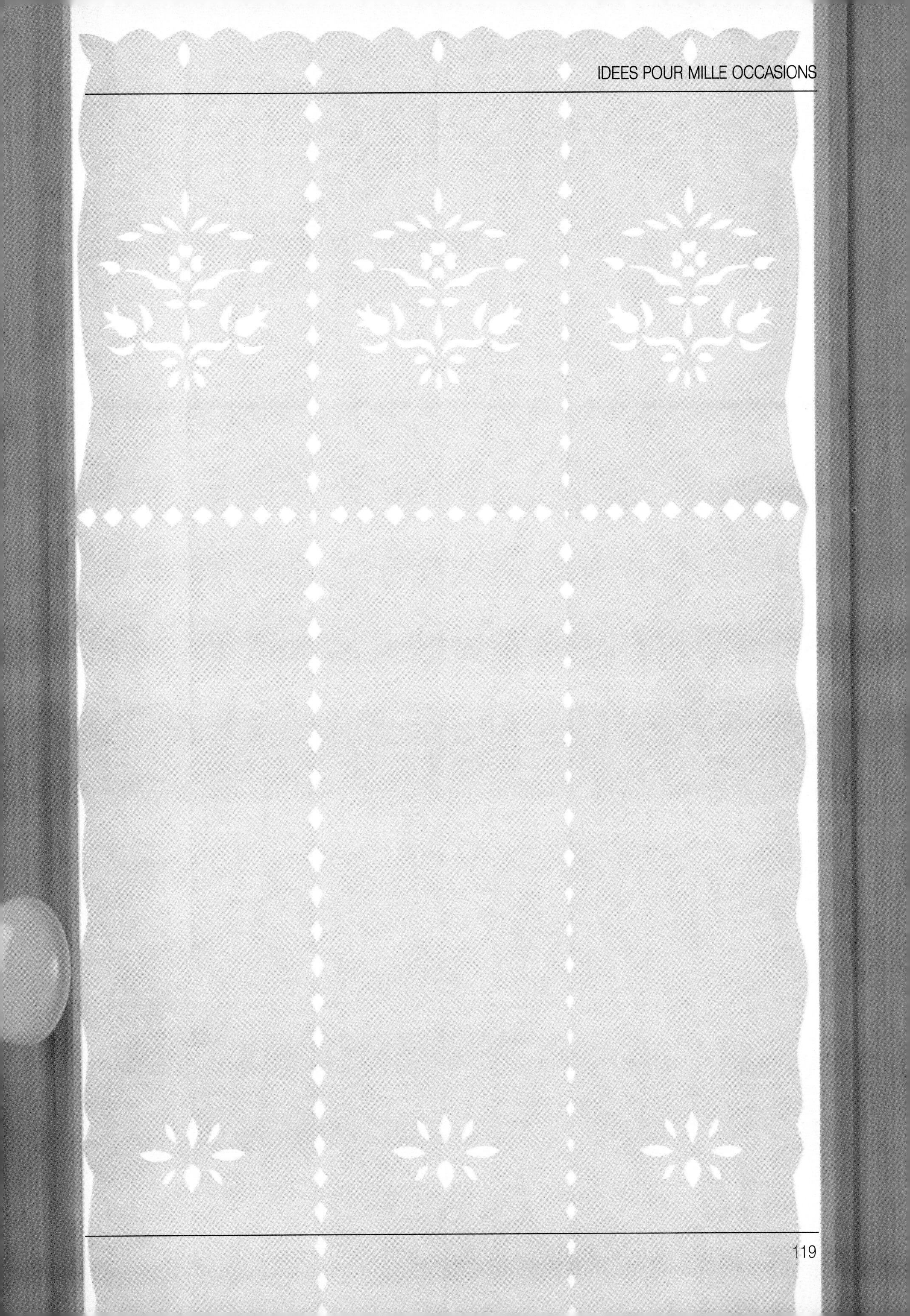

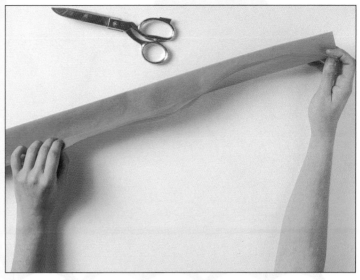

- Coupez deux bandes de papier huilé aux dimensions légèrement plus petites que le verre sur lequel vous devez placer le rideau de papier. Pliez-les ensemble, en accordéon.
- Pliez à demi la bande que vous avez obtenue.

- Coupez la pointe et les pétales centraux en suivant la pliure.

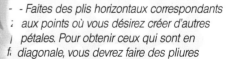

- Faites des plis horizontaux correspondants aux points où vous désirez créer d'autres pétales. Pour obtenir ceux qui sont en diagonale, vous devrez faire des pliures obliques.

SILHOUETTES

Vous pouvez vous amuser à exécuter des portraits d'amis ou de parents à l'aide d'une feuille de papier noir et d'une paire de petits ciseaux. Au début, vous pouvez vous exercer en prenant des photographies comme modèle, tout en vous souvenant que les portraits de profil, essentiels et expressifs, sont les plus simples à réaliser.

La silhouette des animaux est une décoration
sûrement universelle: vous pourrez ainsi enrichir les
livres, en recréant le charme des anciens bestiaires,
ou bien égayer les murs de la chambre des enfants,
ou encore imaginer d'exécuter le portrait du chien
ou du chat de la maison.

DECORATIONS
DE NOEL

MATERIEL NECESSAIRE

CARTONS DE COULEUR
CRAYON
REGLE
CUTTER ET CISEAUX

Le fait de décorer la maison avec des objets en papier à l'occasion des fêtes de Noël est dans la plus pure tradition nordique. Vous pouvez le faire vous aussi: le papier vous permet, moyennant un peu de fantaisie, de décorer facilement portes, fenêtres, l'arbre de Noël et la table des fêtes, en créant avec peu de chose une atmosphère très suggestive.

ETOILES TRIDIMENSIONNELLES

MATERIEL NECESSAIRE

CARTON COLORE OU METALLISE
CRAYON
REGLE
CISEAUX
CUTTER
VOIR SECTION DESSINS P. 157

Une traditionnelle décoration de Noël à suspendre à la porte, simple et linéaire, qui, avec quelques astuces, peut se transformer en un porte-bougie de grand effet, ou un surtout pour la table.

- Posez sur le support de coupe en caoutchouc un carton coloré ou métallisé. Reportez le dessin à l'aide de la règle et coupez le contour de l'étoile, en en marquant le centre de la pointe des ciseaux.
- Marquez légèrement avec le cutter les lignes hachurées les plus longues sans les couper, en partant du centre vers les pointes externes.

- Tournez l'étoile du côté sans dessin et passez-y le cutter, en marquant les lignes les plus courtes, toujours en partant du centre vers le creux externe.

- Tournez de nouveau l'étoile et découpez les décors internes, en faisant attention à ce qu'ils ne se superposent pas aux lignes marquées au cutter.

- Pliez les pointes de l'étoile en suivant les lignes marquées au cutter, en veillant à ce que la marque soit extérieure au pli et à ce que le papier ne se déchire pas à ce niveau.

- Pliez ensuite l'étoile vers l'intérieur, en suivant les lignes les plus courtes. Exécutez cette opération très délicatement.

CRECHE

MATERIEL NECESSAIRE

CARTONS DE COULEUR
CUTTER OU STYLET
PAPIER CARBONE
COLLE
VOIR SECTION DESSINS P. 159

*Une crèche stylisée,
avec sa comète,
constituée par le même
dessin découpé sur des
cartons de différentes
couleurs; en variant les
couleurs, les détails et
les superpositions, on
peut obtenir des effets
extraordinaires, toujours
nouveaux.*

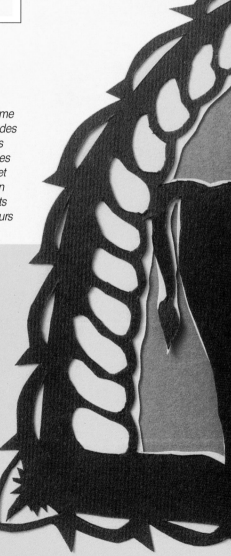

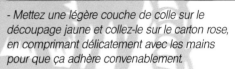

- Mettez une légère couche de colle sur le
découpage jaune et collez-le sur le carton rose,
en comprimant délicatement avec les mains
pour que ça adhère convenablement.

- Reportez le dessin sur le carton noir et découpez-le soigneusement,
en le posant sur le plan de découpe en caoutchouc.
- Reportez sur le carton jaune uniquement le dessin interne de la grotte,
représentant l'Enfant, le bœuf et l'âne; découpez-le en maintenant une
marge en plus de 1 mm le long des contours des figures, de manière à
créer une auréole de lumière quand les deux cartons seront assemblés.

- Enfin, collez le
découpage noir par
dessus le jaune: la
grotte stylisée
apparaîtra environnée
de lumière.

CRISTAUX DE NEIGE

MATERIEL NECESSAIRE

PAPIER LEGER (21 x 21 CM)
PAPIER CARBONE
CRAYON
CISEAUX
VOIR SECTION DESSINS P. 158

*Découpages
gracieux et très
délicats qui simulent
des cristaux de neige
à appliquer à une
fenêtre, pour créer
l'illusion d'une joyeuse
chute de neige.*

- *Pliez en quatre une feuille de papier léger, le long des diagonales.*
- *Pliez la feuille en deux en suivant une diagonale, puis repliez-la en accordéon, sans trop marquer les pliures.*

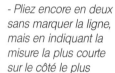

- *Pliez encore en deux sans marquer la ligne, mais en indiquant la misure la plus courte sur le côté le plus long.*

- *Coupez ensuite en suivant la ligne hachurée et en arrondissant la coupe. Ouvrez: vous aurez*

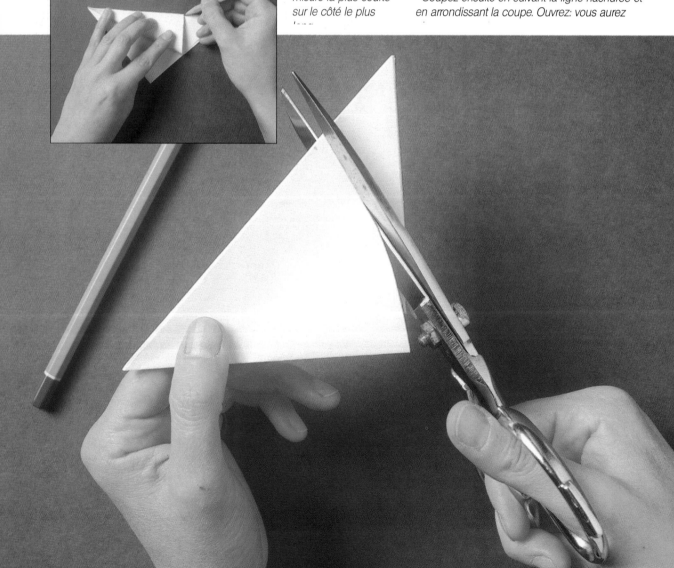

- Maintenant, pliez le cercle en demi-cercle, puis en trois, en accordéon. Comprimez bien pour marquer les plis.
- Pliez encore le tout en deux, toujours en accordéon.

- Coupez avec les ciseaux, en suivant le dessin et en tenant fermement les nombreuses épaisseurs de papier, qui autrement auraient tendance à bouger. Enfin, ouvrez la feuille et aplanissez bien avec un ongle pour éliminer les plis.

- Reportez le dessin à l'aide du papier carbone.

FENETRE D'HIVER

De candides cristaux de neige, alternés à des dentelles et des broderies, blanches elles aussi ou dans de délicats coloris pastel, à accrocher aux fenêtres pour raviver l'atmosphère avec des jeux originaux de lumière et de transparences.

DESSINS

*Pour réaliser les projets, les dessins
doivent être reportés en photocopie
aux dimensions desirées.*

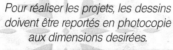

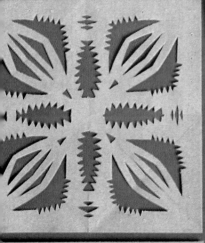
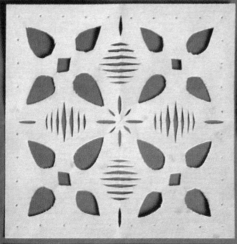

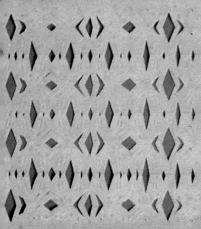
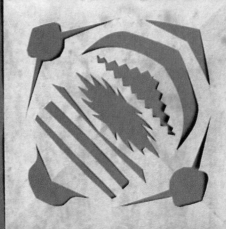

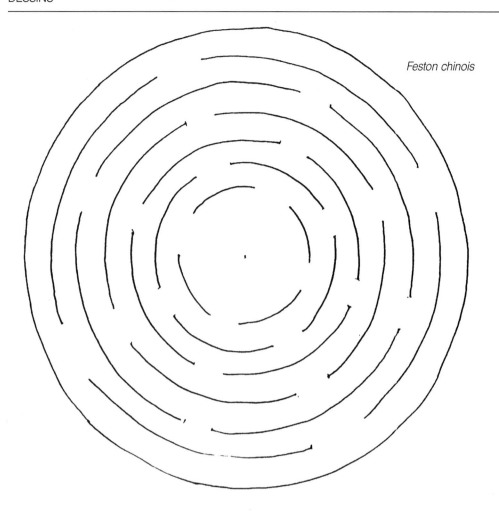

Feston chinois

*Le symbole chinois
du double bonheur*

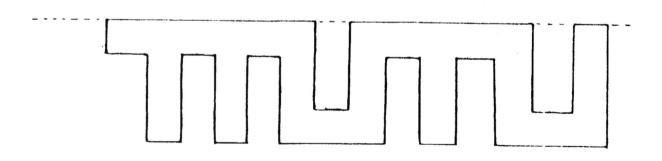

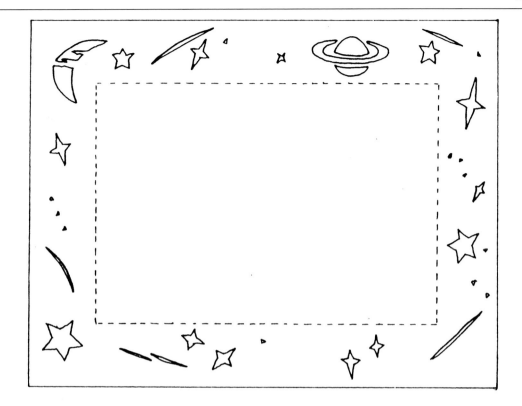

Cadre

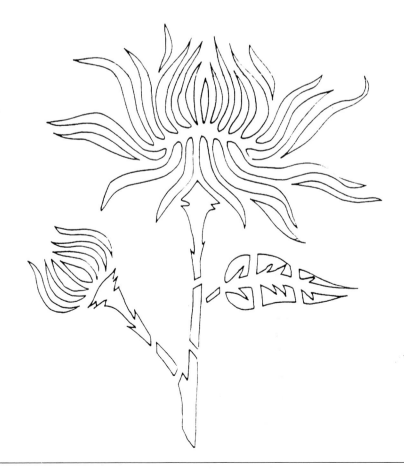

Porte-photo

*Tête de lit pour
lit à deux places*

*Menu (à gauche)
marque-place (ci-dessus)
et serviette japonaise
(page ci-contre).*

*Services américains
pour la table
printanière*

Petit meuble décoré

Pour rénover un cadre

Cœurs de bon augure

La forêt de dentelle

Petit papillon chinois

Cartes de vœux

Carte de vœux de Pâques

Invitation de mariage

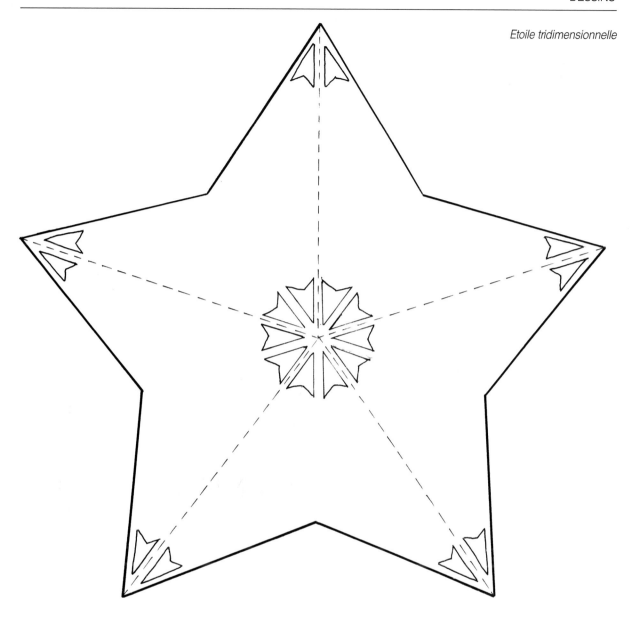

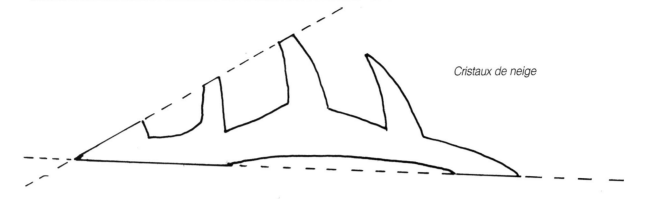

Cristaux de neige

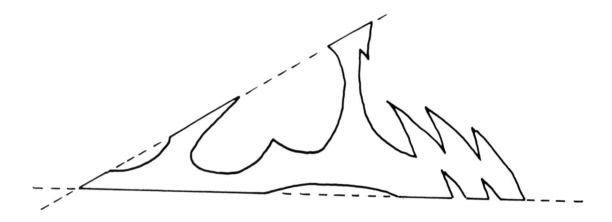

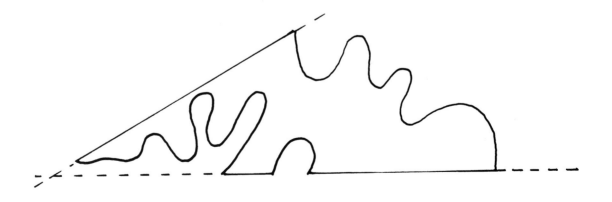

Crèche

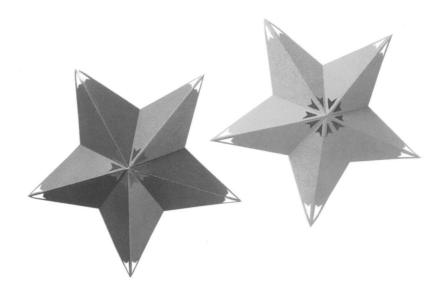

Pour l'édition italienne:
Editor: Cristina Sperandeo
Photos: Alberto Bertoldi et Mario Matteucci
Projet graphique et mise en pages:
Paola Masera et Amelia Verga
avec la collaboration de Beatrice Brancaccio

Pour l'édition française:
Coordination éditoriale: Cristina Sartori
Traduction: Anne Marie Guez
Rédaction: Nicoletta Lattuada
Couverture: Studio Break Point
Photocomposition: G&G computer graphic, Milan